把书法老师请回家

田英章 书

图书在版编目（CIP）数据

把书法老师请回家. 田英章楷书 / 田英章书. —上海：
上海交通大学出版社，2014
（华夏万卷）
ISBN 978-7-313-11117-3

Ⅰ.①把… Ⅱ.①田… Ⅲ.①钢笔字-楷书-法帖
Ⅳ.①J292.12

中国版本图书馆 CIP 数据核字（2014）第 090094 号

把书法老师请回家　田英章楷书
BA SHUFA LAOSHI QING HUI JIA　TIAN YINGZHANG KAISHU

作　　者：田英章
出版发行：上海交通大学出版社
地　　址：上海市番禺路 951 号
邮政编码：200030
电　　话：021-64071208
印　　刷：成都蜀望印务有限公司
经　　销：全国新华书店
开　　本：787mm×1092mm　1/16
印　　张：9
字　　数：72 千字
版　　次：2014 年 9 月第 1 版
印　　次：2020 年 11 月第 15 次印刷
书　　号：ISBN　978-7-313-11117-3
定　　价：22.00 元

全国服务热线：028-85939832

快速应用指南

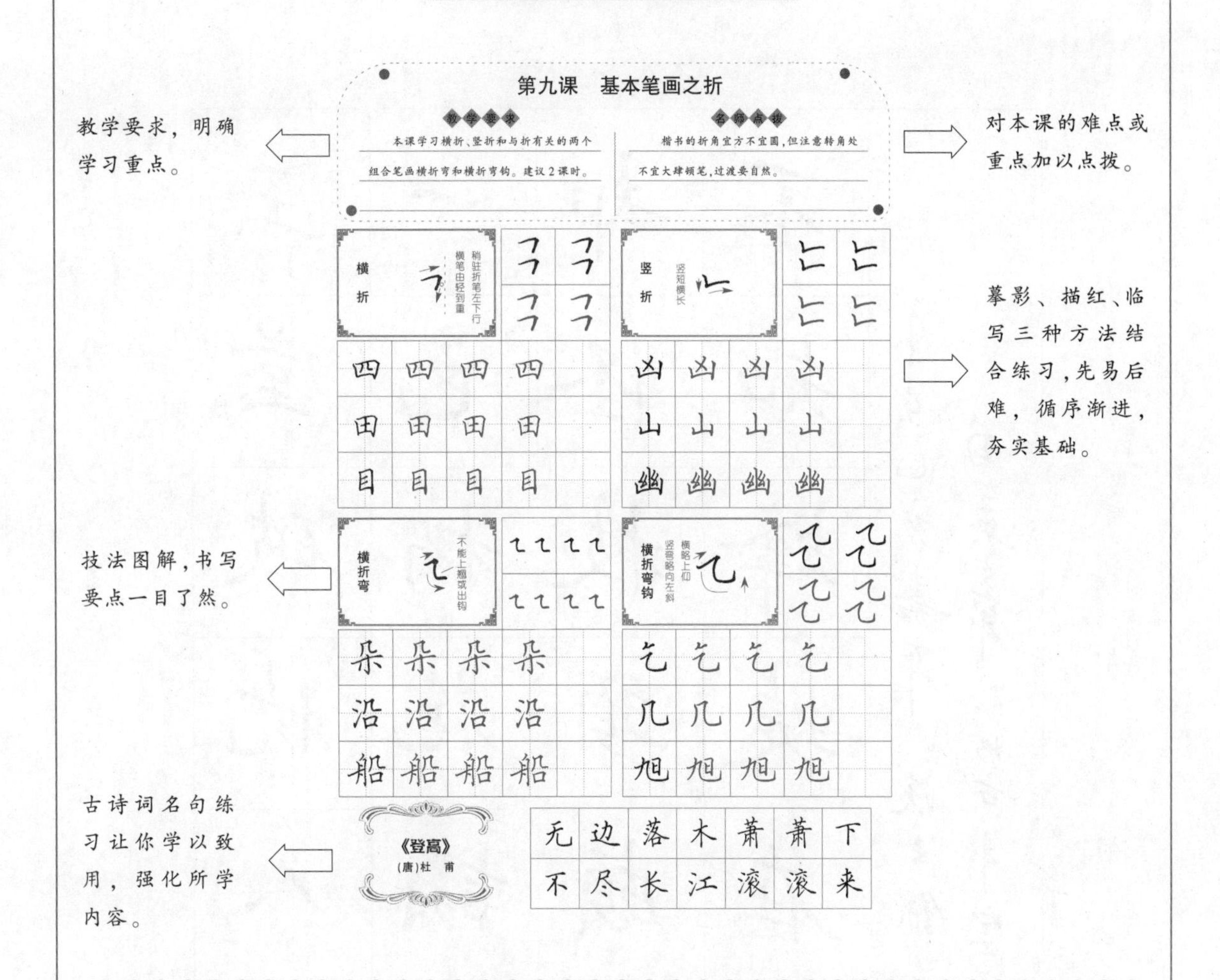

练字六要点

1. **处理好临与摹的关系**。初学者由于自由书写已成习惯，在字形大小、笔画粗细、间架结构、用笔动作等各方面都与原帖存在很大的差距，应提倡多摹少临。

2. **定时**。能坚持每天临摹并保证足够的临摹时间，不可断断续续，时多时少。

3. **定量**。贪多求快，浮光掠影，达不到长期记忆的效果。临摹要取得好效果，定量很重要，宁少毋多，少则得，多则惑。提倡一个范字写十次，不提倡十个范字写一次。

4. **先慢后快**。书写动作由生到熟，先慢后快，熟能生巧。慢求稳，快易乱。

5. **注意调剂心情**。练字的时候要心平气和、善始善终。如果心平气和，则能静下心来认真练字；如果心烦意乱，沉不住气，则效果甚微。

6. **不要轻易变换字体**。练字要有恒心、有毅力，要持之以恒，切忌三天打鱼，两天晒网。

玉堂破曉人初起
一色榴花誤絢霞
却怪枝頭頗寂寂
不知蜂蝶在誰家

歲在乙亥嘉平下浣書錄古詩一首
田英章於北京斗室

第一课　坐姿和执笔方法

在正式练字前，掌握正确的坐姿和执笔方法。建议1课时。

错误的写字姿势和执笔方法，不但会影响书写效果，而且还会引起近视、脊柱弯曲等疾病，所以不容忽视。

1. 坐姿

正确的坐姿是写好字的首要条件。在书写时，身体坐正，腰背垂直，两腿自然分开。眼距纸一尺，胸距桌沿一拳，一手执笔一手按纸。这样才可使全身各部位感到舒展、灵活、轻松。

在书写时头歪、背弓、眼离纸太近、两腿相交，都是不正确的姿势，书写一会儿就会感觉身体不适，浑身酸痛。这样，不但字写不好，而且时间长了会影响健康，导致眼睛近视、脊背弯曲等毛病。

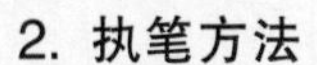

正确的姿势：用拇指、食指的指肚和中指的侧面分别从三个不同方向捏住笔杆的下端，手指距笔尖一寸，使笔与纸面成约45°。这样的姿势更有利于把握笔的走向，使笔尖灵活而又不失稳定地听从手的指挥。

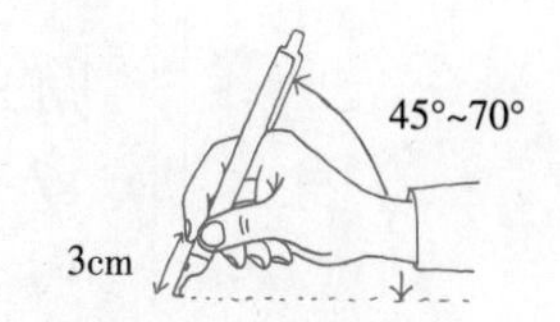

坐姿口诀

头正：头部端正，微向前倾，俯视字帖，静心宁神。

身直：身体坐直，双肩横平，腰要挺起，胸不靠桌。

臂开：两臂展开，一手执笔，一手按纸，均衡对称。

足安：双脚放平，平行向前，脚略分开，腰部挺直。

执笔口诀

虎口张开一个圆，

手心里边握鸡蛋，

拇指食指用指肚，

中指侧面顶笔杆，

笔杆倾斜要自然。

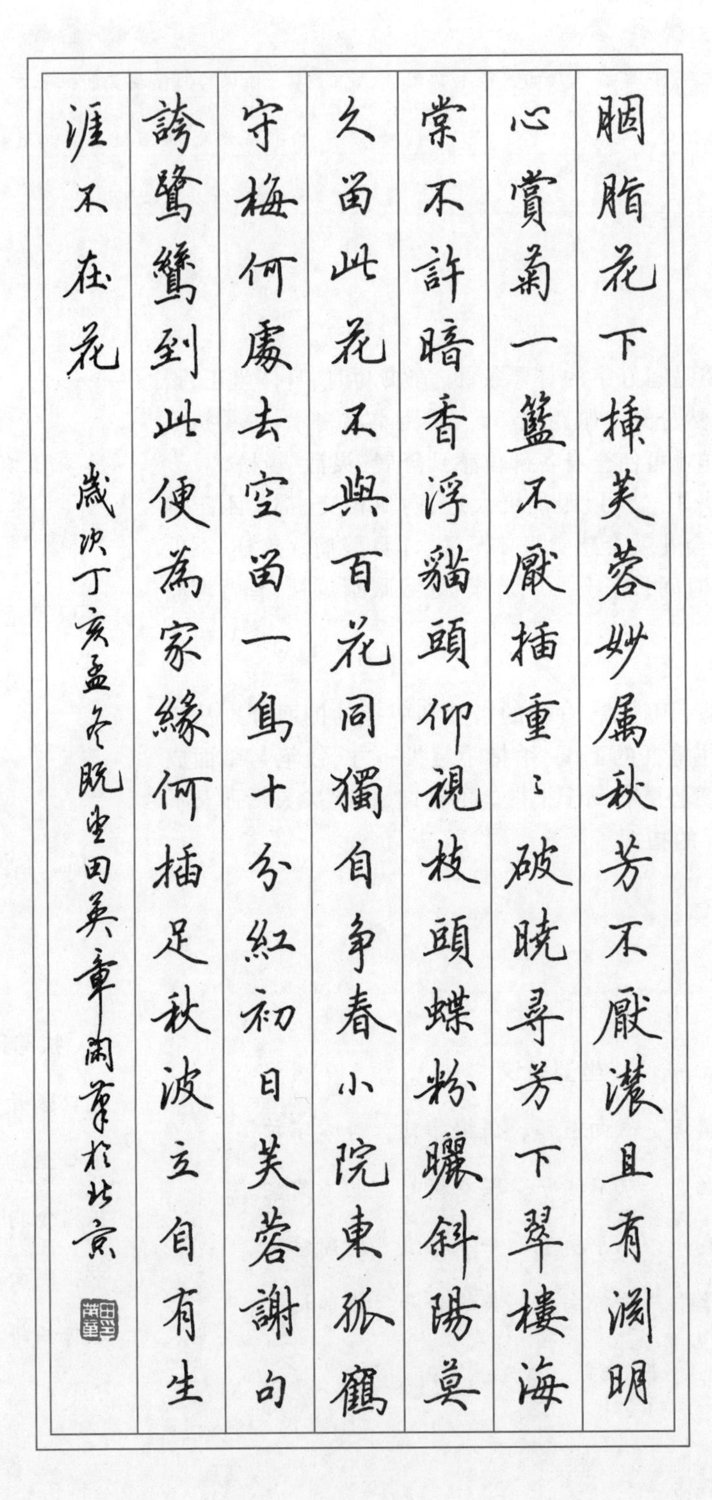
胭脂花下棟芙蓉妙屬秋芳不厭濃且有淵明
心賞菊一籃不厭插重〻破曉尋芳下翠樓海
棠不許暗香浮貓頭仰視枝頭蝶粉曬斜陽莫
久留此花不與百花同獨自爭春小院東孤鶴
守梅何處去空留一隻十分紅初日芙蓉謝句
誇鷺鷥到此便為家緣何插足秋波立自有生
涯不在花
歲次丁亥孟冬既望田英章書於北京
田英章

第二课　楷书笔顺规则

教学要求

了解书写笔顺的重要性，并认真掌握常用的笔顺规则。建议1课时。

名师点拨

正确的笔顺有助于提高书写效率，同时也容易把握好字的结构，写出笔势，所以平时要养成按笔顺书写的良好习惯。

规则	例字	笔顺					
先横后竖	下	一	丅	下			
从上到下	只	丨	𠃍	口	口丿	只	
先撇后捺	天	一	二	二丿	天		
从左到右	叶	丨	𠃍	口	口一	叶	
从外到内	风	丿	几	几丿	风		
先中间后两边	水	亅	亅𠃌	亅𠃌丿	水		
先里头后封口	困	丨	冂	冂一	冂十	冂木丿	困
点最先写	永	丶	丶亅	丶亅㇇	丶亅㇇丿	永	
点最后写	瓦	一	丆	瓦(无点)	瓦		
先里后外	延	丿	丿一	丿一丨	丿一丨一	延(未完)	延
先上后里再左下	匡	一	一一	一二丨	一王	一王一	匡

作品欣赏

滚滚长江东逝水浪花
淘尽英雄是非成败转
头空青山依旧在几度
夕阳红白发渔樵江渚
上惯看秋月春风一壶
浊酒喜相逢古今多少
事都付笑谈中

杨慎临江仙词丙戌仲夏田英章

第三课　汉字笔画名称表

主要学习各个笔画的名称，并熟悉这些笔画的基本形态。建议1课时。

在学习之前掌握各个笔画的名称，并熟记它们的基本形态，有助于更好地学习后面的内容。

笔画	名称	例字	笔画	名称	例字	笔画	名称	例字
㇔	右点	良	㇒	平撇	壬	㇍	横折弯	朵
丶	左点	必	㇏	斜捺	皮	㇈	横折弯钩	九
㇒	撇点	兴	㇏	平捺	迷	㇁	弯钩	子
㇀	挑点	火	㇏	反捺	卖	㇟	竖弯钩	尤
一	长横	万	㇀	提	把	㇠	横折斜钩	飞
一	短横	玉	㇖	横钩	皮	㇡	横折折折钩	乃
丨	垂露竖	乍	亅	竖钩	寸	㇇	横撇	夕
丨	悬针竖	甲	㇂	斜钩	武	㇜	撇折	云
丿	竖撇	更	㇃	卧钩	恳	㇛	撇折点	女
丿	斜撇	少	㇕	横折	丑	㇉	竖折折钩	马
丿	短撇	丘	㇄	竖折	凶			

第四十二课 楷书二十八法(七)

教学要求

掌握楷书二十八法中的围而不堵、斜抱穿插、牵丝粘连和笔画增减的写法。建议4课时。

名师点拨

本课中的“笔画增减”这一方法在考试时不宜采用，如果你还是学生了解即可。

围而不堵

困

围而不堵，守不宜困，为有包围部分的字的常用之法，以祛除呆板、滞闷之感。

困	困	困	困	
固	固	固	固	
围	围	围	围	

斜抱穿插

放

由两个部分组合的字最忌讳远离，应该双肩合抱，互带穿插，鳞羽错落，呼应迎就。

放	放	放	放	
妙	妙	妙	妙	
攻	攻	攻	攻	

牵丝粘连

影

笔画是筋骨，牵丝为血脉。要求笔断意连。

影	影	影	影	
遂	遂	遂	遂	
妙	妙	妙	妙	

笔画增减

流

古人在异写、帖写中多有精妙之法，那是为了美观而沿袭相传，但现在不可乱造。

流	流	流	流	
海	海	海	海	
皆	皆	皆	皆	

《无题》

(唐)李商隐

春	蚕	到	死	丝	方	尽
蜡	炬	成	灰	泪	始	干

第四课　基本笔画之点

本课主要学习四种常用点画的写法，在学习的过程中要善于总结它们的异同点。建议2课时。

有一些练字者总是忽略对点的书写练习。殊不知小小的点画中蕴藏着起笔、行笔、收笔这些动作还有用笔的轻重变化。

右点　轻入笔　末端稍重　注意角度

云　永　六

左点　轻入笔　意带右部　注意提锋

尔　乐　示

撇点　长短因字而异　起笔略顿

兰　首　半

挑点　落笔稍顿　右上挑

冰　兆　羽

《过华清宫》
(唐)杜　牧

一骑红尘妃子笑
无人知是荔枝来

第四十二课　楷书二十八法(六)

教学要求

掌握楷书二十八法中的大小独具、连撇参差、三部呼应和钩趯匕刃。建议4课时。

名师点拨

由三部分组成的字，其笔画数目较多，结构形式复杂，书写时注意运用“三部呼应”之法。

大小独具

日

字有大小，大的字不可写小了，小的字不可写大了，自然天成，各臻其妙。

日	日	日	日	
豫	豫	豫	豫	
勿	勿	勿	勿	

连撇参差

象

多撇的字，最忌讳写成排牙之状、车轨之形，应指向不一。

象	象	象	象	
忽	忽	忽	忽	
缘	缘	缘	缘	

三部呼应

淡

凡由三个部分组成的字，应朝揖顾盼，避就相迎，浑然一体。

淡	淡	淡	淡	
卿	卿	卿	卿	
翔	翔	翔	翔	

钩趯匕刃

予

楷书技法中，钩身不宜长，犹如匕刃，但一个字中如果有多个钩画，必须化减。

予	予	予	予	
宅	宅	宅	宅	
衣	衣	衣	衣	

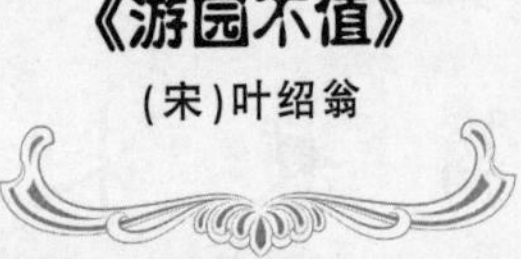

《游园不值》

(宋)叶绍翁

春	色	满	园	关	不	住
一	枝	红	杏	出	墙	来

第五课 基本笔画之横与竖

教学要求

本课学习横和竖的写法，注意行笔距离及用笔的轻重变化。建议2课时。

名师点拨

所谓“横平竖直”中的“横平”不是水平，而是指行笔平稳；“竖直”并不是垂直，而是要挺拔的意思。

《论诗》

(清)赵 翼

江	山	代	有	才	人	出
各	领	风	骚	数	百	年

第四十课 楷书二十八法(五)

掌握楷书二十八法中的左右对称、主笔脊柱、中宫收紧和收缩纵展。建议4课时。

每个汉字都有主笔,主笔在一个字中起平衡左右、稳定重心的作用。写好字的同时做到中宫收紧,笔画收缩纵展协调。

左右对称 奏

凡是左边有撇,右边有捺的字均需对称。其笔画的高、低、长、短应该就字的形态而定。

主笔脊柱 旦 主笔

字中有一笔是主笔,其他的笔画为辅笔,主笔担当字的脊梁,其他笔画附其血肉。

奏	奏	奏	奏		旦	旦	旦	旦	
文	文	文	文		电	电	电	电	
公	公	公	公		成	成	成	成	

中宫收紧 商

「中宫」指的是字的核心,中宫收紧而其他笔画向外开展,以字中为核心,内聚外散。

收缩纵展 王 收 展

这是常用的一个书写方法,学书的人都不能违背。收缩为其纵展,纵展反为收缩。

商	商	商	商		王	王	王	王	
垂	垂	垂	垂		耳	耳	耳	耳	
父	父	父	父		左	左	左	左	

《游山西村》

(宋)陆 游

山	重	水	复	疑	无	路
柳	暗	花	明	又	一	村

第六课　基本笔画之撇

本课主要学习撇的四种写法，注意四种撇的角度及长短的区别。建议2课时。

名师点拨

撇对字体具有稳定和修饰作用，由重到轻的行笔过程要一笔完成，不要断笔描画。

竖撇：先竖后撇，撇锋勿长

斜撇：注意流畅，略带弧度

月	月	月	月	在	在	在	在
舟	舟	舟	舟	君	君	君	君
夷	夷	夷	夷	度	度	度	度

短撇：入笔轻盈，出锋勿长

平撇：角度稍平，起笔稍重

形	形	形	形	乎	乎	乎	乎
伤	伤	伤	伤	后	后	后	后
诊	诊	诊	诊	禾	禾	禾	禾

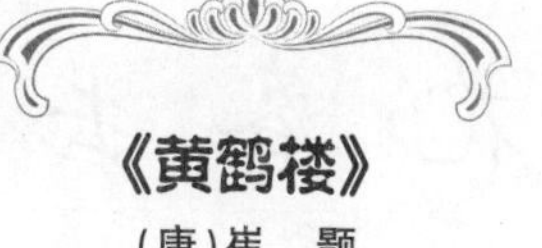

《黄鹤楼》

(唐)崔　颢

晴	川	历	历	汉	阳	树
芳	草	萋	萋	鹦	鹉	洲

第三十九课　楷书二十八法(四)

教学要求

掌握楷书二十八法中下方迎就、左收右放、左斜右正和对等平分。建议4课时。

名师点拨

汉字书写，大多笔画外散内聚、内密外疏、疏密有致。书写时中部收敛，形短，稍上移；下部笔画稍奔放，笔画间相互穿插。

下方迎就 卷

凡是上方有撇捺等开张笔画的字，下方多应上移迎就，这是为了使字显得紧凑不脱节。

卷	卷	卷	卷	
今	今	今	今	
吞	吞	吞	吞	

左收右放 吸

凡是左右结构的字，以左收右放居多，这是左右结构的字的普遍规律。

吸	吸	吸	吸	
端	端	端	端	
珠	珠	珠	珠	

左斜右正 经

凡是左右结构的字，以左斜右正的字居多，左斜为呼，右正为应。

经	经	经	经	
利	利	利	利	
埋	埋	埋	埋	

对等平分 帖

凡是左右对等平分的字，高低对等，宽窄相当，平分秋色。

帖	帖	帖	帖	
鞍	鞍	鞍	鞍	
鞋	鞋	鞋	鞋	

《浣溪沙》

(宋)晏　殊

无	可	奈	何	花	落	去
似	曾	相	识	燕	归	来

第七课 基本笔画之捺与提

本课学习捺和提两个基本笔画，其中捺的三种主要写法要认真体会它们的异同。建议3课时。

捺画粗细分明，运笔轻重多变，书写难度较大，请多加练习。提画要注意在不同字中角度和长短有所不同。

第三十八课　楷书二十八法(三)

掌握楷书二十八法中上收下展、上展下收、上正下斜和上斜下正。建议4课时。

上斜下正一般上部取左倾斜势，下部端稳。如"盏"字，上部两横右上斜，斜钩左倾，但斜而有度；下部的"皿"形端势稳力撑上部。

上收下展　易

此类字上方收紧，下方展开以托住上方。此为上下结构的字常用的一种技法。

易	易	易	易	
宴	宴	宴	宴	
烈	烈	烈	烈	

上展下收　香

「上展」指的是上部飘扬洒脱，以显示字的精神；「下收」指的是下部凝重稳健，以显示字的端庄。

香	香	香	香	
春	春	春	春	
祭	祭	祭	祭	

上正下斜　芳

「上正」指的是上部端正；「下斜」指的是下取斜势。下部斜而有度，注意重心。

芳	芳	芳	芳	
毒	毒	毒	毒	
霉	霉	霉	霉	

上斜下正　登

凡是上下结构的字，上斜下正的居多，上斜以取其势而呼应下方。

登	登	登	登	
贺	贺	贺	贺	
盏	盏	盏	盏	

《长恨歌》
(唐)白居易

回	眸	一	笑	百	媚	生
六	宫	粉	黛	无	颜	色

第八课　基本笔画之钩

本课主要学习钩的四种不同的写法，注意起笔、行笔与收笔的过程。建议2课时。

钩不是一种独立的笔画，须依附在横、竖等其他笔画上，衔接要顺畅，出钩要迅急，不可软弱无力。

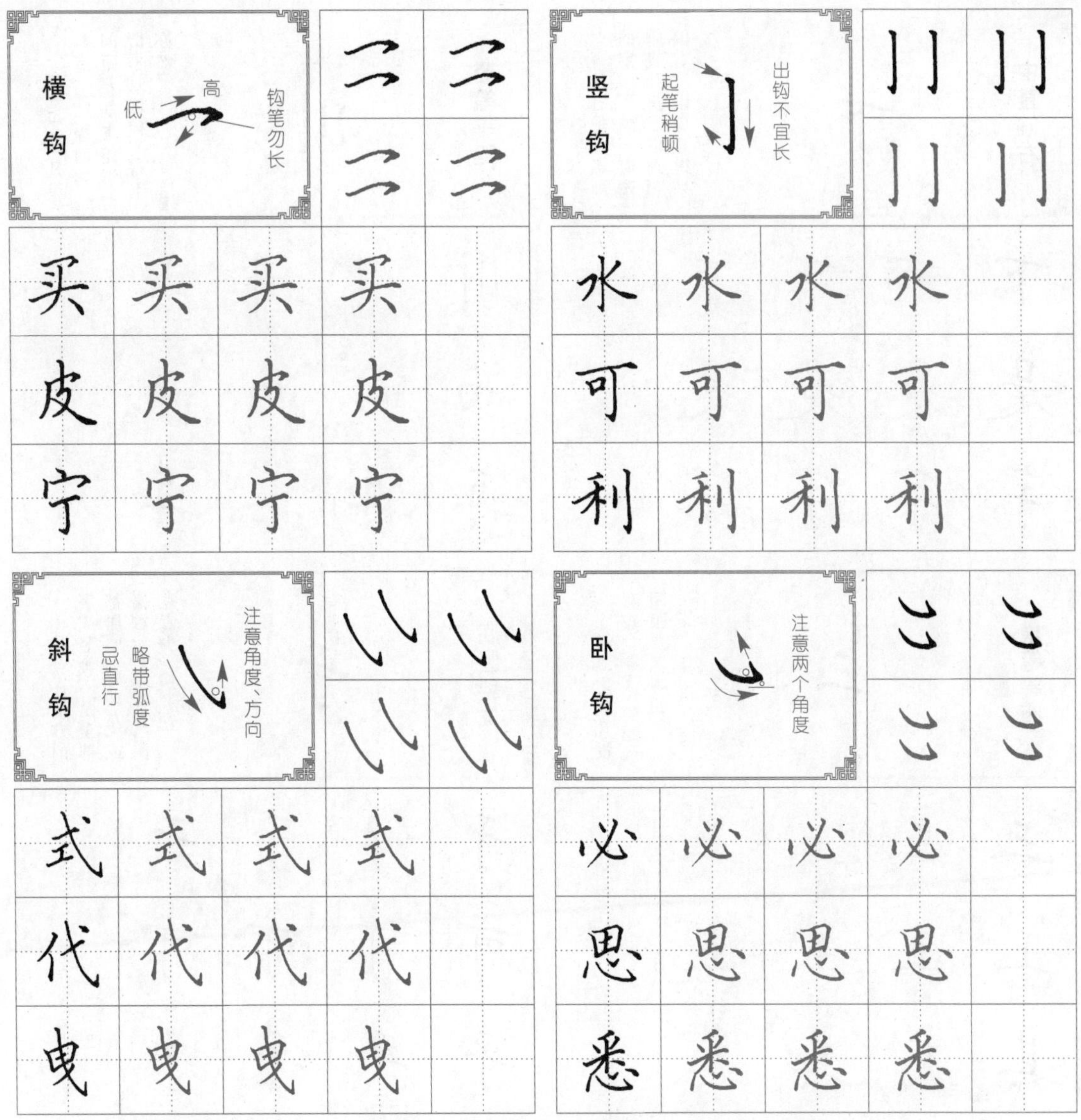

《绝命诗》

(清)谭嗣同

我	自	横	刀	向	天	笑
去	留	肝	胆	两	昆	仑

第三十七课　楷书二十八法(二)

掌握楷书二十八法中的中直偏右、竖笔等距、横笔等距和底竖斜位。建议4课时。

本课难点是“中直偏右”和“底竖斜位”，明明不宜居中的竖笔强行居中，写出来的字容易重心不稳。

中直偏右 下

凡有中直笔画的字，竖画都应该垂直劲挺，但须稍偏右，以免显得呆板。

竖笔等距 川

竖笔之间凡没有点、撇、捺的字，间距要基本相等，楷书是这样，行书亦然。

下	下	下	下	
是	是	是	是	
宇	宇	宇	宇	

川	川	川	川	
而	而	而	而	
再	再	再	再	

横笔等距 三

横笔之间凡没有点、撇、捺的字，间距要基本相等。

底竖斜位 于

凡竖在下方的字，竖画不是全部都居中，或偏左，或偏右，偏右者多，偏左者少。

三	三	三	三	
王	王	王	王	
其	其	其	其	

于	于	于	于	
可	可	可	可	
乎	乎	乎	乎	

《江南春》

(唐)杜　牧

南	朝	四	百	八	十	寺
多	少	楼	台	烟	雨	中

第九课 基本笔画之折

本课学习横折、竖折和与折有关的两个组合笔画横折弯和横折弯钩。建议2课时。

楷书的折角宜方不宜圆，但注意转角处不宜大肆顿笔，过渡要自然。

横折：稍驻折笔左下行，横笔由轻到重

四	四	四	四
田	田	田	田
目	目	目	目

竖折：竖短横长

凶	凶	凶	凶
山	山	山	山
幽	幽	幽	幽

横折弯钩：横略上仰，竖弯略向左斜

乞	乞	乞	乞
几	几	几	几
旭	旭	旭	旭

《登高》
(唐)杜　甫

无	边	落	木	萧	萧	下
不	尽	长	江	滚	滚	来

第三十六课　楷书二十八法(一)

掌握楷书二十八法中的首点居正、通变顾盼、点竖直对和中直对正。建议2课时。

本课“通变顾盼”之法是指：在一字中，凡点画较多时，应注意其方向、形态的变化，点画各具情态，相互呼应、顾盼。

首点居正　主

首点应居于全字中轴线之上，棱角突显，飒爽精神，这是点画技法的要诀。

主	主	主	主	
麻	麻	麻	麻	
良	良	良	良	

通变顾盼　心（呼应）

一字之中若有多个点画就应顾盼通变，各具情态，首尾意连，彼此呼应。

心	心	心	心	
羔	羔	羔	羔	
冷	冷	冷	冷	

点竖直对　市

一字之中，如果上面有点，下面有竖，应该考虑是否直对，如果直对，再考虑点画的位置。

市	市	市	市	
永	永	永	永	
下	下	下	下	

中直对正　卡

一字之中，如果上下中间有竖画的，那么两竖应该直对。

卡	卡	卡	卡	
堂	堂	堂	堂	
常	常	常	常	

《饮湖上初晴后雨》
(宋)苏　轼

欲	把	西	湖	比	西	子
淡	妆	浓	抹	总	相	宜

第十课 组合笔画(一)

本课学习与钩有关的组合笔画，注意行笔过程中的轻重变化。建议2课时。

组合笔画要注意衔接的顺畅，与钩有关的组合笔画着重观察出钩的方向。

《约客》

(宋)赵师秀

黄	梅	时	节	家	家	雨
青	草	池	塘	处	处	蛙

第三十五课 结构与布势(四)

本课学习半包围结构的书写技巧，注意总结外框中哪些笔画应伸展，哪些笔画应收敛。建议4课时。

半包围结构的类型较多，书写这类字的关键是处理好外框与被包部分的关系及各部分的大小。

类型	例字	要点	练习
左上包	庑（伸展、偏右）	被包围部分要写得紧且稍靠右，最后一笔要舒展，以稳住字的重心。	庑 庑 庑 庑 厉 厉 厉 厉
左下包	进（伸展）	被包围部分宜紧凑，与包围部分相呼应。走之儿、走字底、建字底的字都属于这一类型。	进 进 进 进 题 题 题 题
右上包	句（偏左）	被包围部分要写得紧凑稍微靠上，并且重心在左。	句 句 句 句 氧 氧 氧 氧
左包右	匡（略短、偏右、略长）	被包围的部分要稍偏右一些，但不能离框太远，以免重心失衡。	匡 匡 匡 匡 匠 匠 匠 匠
上包下	周（略靠上、长于左撇）	被包围部分要稍偏上，不可放在框的正中，更不能掉出框外。	周 周 周 周 凤 凤 凤 凤
下包上	画（中间高、两边低）	所包部分要居于整个字的中间，居于高位，但不可与下方脱节。	画 画 画 画 函 函 函 函

第十一课 组合笔画(二)

本课学习横撇、撇折、撇折点和竖折折钩的写法，注意转折处的衔接与过渡。建议3课时。

楷书笔画之间的转折讲究顿挫，但不要太着痕迹。折角大小并不固定，可以富于变化，但要适当。

横撇：横稍斜；撇有弧度

久	久	久	久
了	了	了	了
歹	歹	歹	歹

撇折：夹角要小；提笔启右

玄	玄	玄	玄
纣	纣	纣	纣
去	去	去	去

撇折点：两头粗中间细；注意重心平稳

女	女	女	女
好	好	好	好
巡	巡	巡	巡

竖折折钩：上收下放；钩向内收

弓	弓	弓	弓
鸟	鸟	鸟	鸟
引	引	引	引

《题柏学士茅屋》

(唐)杜 甫

富贵必从勤苦得

男儿须读五车书

第三十四课 间架结构（三）

本课学习上下结构、上中下结构和全包围结构的配合技巧。建议2课时。

上下结构的字要注意整个字的高度，上下两部分宜写扁，不然很容易把字写得过高，与其他字体不相配。

上大下小

基（大 小）

上部的笔画多，下部的笔画少，这类字一般写成上大下小，如带土字底、四点底的字。

基 基 基 基
墨 墨 墨 墨

上小下大

耸（小 大）

上部的笔画相对较少，下部的笔画相对较多，书写时要上部揖让下部，整体比例才协调。

耸 耸 耸 耸
蜀 蜀 蜀 蜀

上中下相等

蓝（相等）

上中下三部分结构复杂程度相近，三部分占位均等。

蓝 蓝 蓝 蓝
意 意 意 意

上中下不等

袁（宽 窄 宽）

上中下三部分繁杂全不同，应互有穿插，写紧凑，合理安排占位。

袁 袁 袁 袁
曼 曼 曼 曼

全包围

园（略长于左竖）

国字框的字属于全包围结构，整个字要端正稳健，不可歪斜。

园 园 园 园
图 图 图 图

《滁州西涧》

（唐）韦应物

春	潮	带	雨	晚	来	急
野	渡	无	人	舟	自	横

第十二课　找准并写好字的主笔

教学要求

本课主要学习什么是字的主笔，哪些笔画在字中充当主笔的作用。建议2课时。

名师点拨

我们把在字中最出彩的笔画叫做“主笔”。主笔在字中起平衡左右、稳定重心的作用，故写好这一笔，一个字就写成功了一半。

横为主笔

七　平稳伸展 横为主笔

当横为主笔时，不论它居上、居中还是居下，其余笔画应相对收敛，突出横画。

七	七	七	七	
妥	妥	妥	妥	
早	早	早	早	

竖为主笔

串　垂直有力 竖为主笔

没有撇捺两分，而竖画贯穿整个字时，竖一般为主笔，起平衡、支撑作用，不能倾斜。

串	串	串	串	
平	平	平	平	
韦	韦	韦	韦	

撇捺为主笔

人　伸展呼应 撇捺主笔

撇捺向左右两侧伸展，使字形均衡平稳；撇宜流畅自然，捺宜饱满挺健。

人	人	人	人	
义	义	义	义	
仓	仓	仓	仓	

钩为主笔

匕　劲挺有力 钩为主笔

以钩画为主笔，全字的神采尽在这一钩之中。钩有多种，但都要饱满有力。

匕	匕	匕	匕	
也	也	也	也	
戈	戈	戈	戈	

《论诗》

(金)元好问

一	语	天	然	万	古	新
豪	华	落	尽	见	真	淳

第三十三课 结构与布势(二)

教学要求

本课学习左中右结构和上下结构的配合技巧。注意左中右结构要衔接紧凑，各部分大小适中。建议4课时。

名师点拨

一字之中，各个组成部分之间要考虑笔画的穿插与变化，各部分之间要相互避让。

左中右相等

蝌（相等）

三部分结构复杂程度相近，或者是笔画繁简差不多，占位均等。

蝌 蝌 蝌 蝌

缎 缎 缎 缎

左中右不等

凝（窄 宽 宽）

三部分笔画繁简不同，宜穿插避让，合理安位。

凝 凝 凝 凝

猴 猴 猴 猴

上下相等

秃

这类字上下两部分的宽度大致相等，高度基本相等，各占字高度的二分之一。

秃 秃 秃 秃

男 男 男 男

上宽下窄

会（宽 窄）

当字头有撇捺伸展的笔画或有长横画时，字头要写得宽一些，以盖住下部。

会 会 会 会

宫 宫 宫 宫

上窄下宽

寻（窄 宽）

当下部有长横画时，上部结构要写得稍微紧凑一些，下部横画长而有力，以托上部。

寻 寻 寻 寻

显 显 显 显

《春日》

(宋)朱 熹

等	闲	识	得	东	风	面
万	紫	千	红	总	是	春

第十三课 独体字的书写要点(一)

本课学习横与竖、横与撇在一字之中同时出现的处理方法。建议3课时。

虽然独体字数量不多，但使用频率极高，而且绝大部分是合体字的构成部件，所以掌握独体字的书写要点是写好合体字的基础。

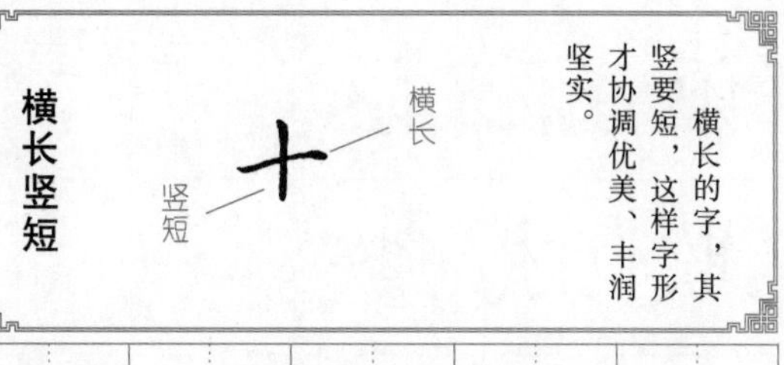

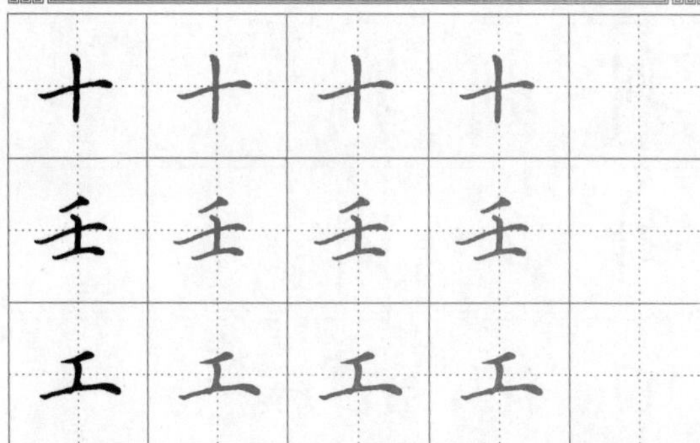

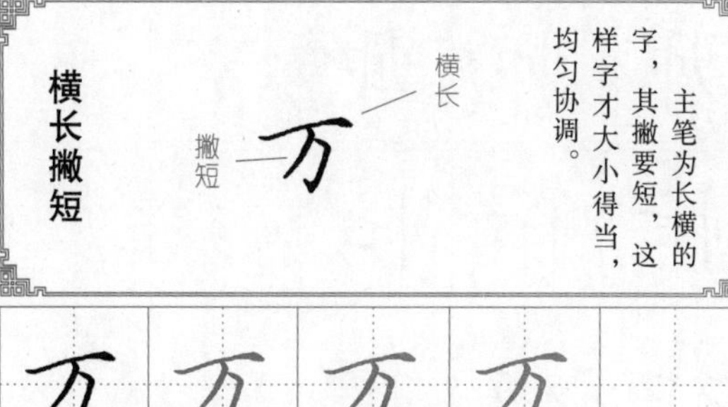

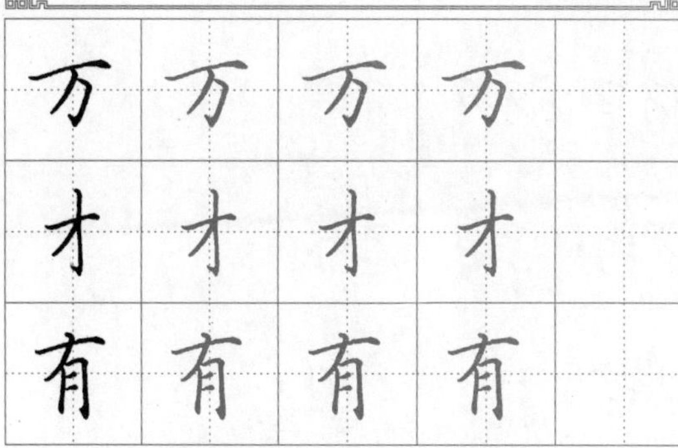

三	十	功	名	尘	与	土
八	千	里	路	云	和	月

第三十二课　结构与布势(一)

本课学习左右结构的配合技巧，在书写时要注意左右两部分的比例搭配。建议4课时。

左右结构是汉字结构中最常见的一种结构形式，它们的结字规律无外乎以下几种，请认真观察后再进行书写练习。

左右相等

左右基本等宽　讴

左右两部分的高度大致平齐，宽度各占字的一半。

讴	讴	讴	讴		
欺	欺	欺	欺		

左宽右窄

宽 窄　判

左边结构复杂，右部笔画少的，书写时应该将左部写得紧凑一些。

判	判	判	判		
卧	卧	卧	卧		

左窄右宽

窄 宽　旧

左边要收敛不与右边争位，右边则要舒展，否则整个字就会过于宽扁，显得不协调。

旧	旧	旧	旧		
师	师	师	师		

左长右短

长　忙　短

左部以上下伸展的笔画为主，而右部以左右伸展的笔画为主，左部要相对写得长一些。

忙	忙	忙	忙		
扣	扣	扣	扣		

左短右长

短　鸣　长

右部以上下伸展的笔画为主，左部形小，居左上方。

鸣	鸣	鸣	鸣		
峙	峙	峙	峙		

《己亥杂诗》

(清)龚自珍

落	红	不	是	无	情	物
化	作	春	泥	更	护	花

第十四课　独体字的书写要点(二)

本课学习左缩右垂、竖直不斜、正字不偏和斜字不倒这四个独体字的书写要点。建议3课时。

名师点拨

独体字一般笔画较少，字形小而收，不可写得过大。笔画的变化以字的美观为准，有的也因书家的喜好不同而写法不同。

左缩右垂

升　收缩　伸展

左撇右竖的字，左边收缩，右边应下垂，稳住字形。

升	升	升	升	
开	开	开	开	
州	州	州	州	

竖直不斜

申　直且居中

竖画为主干的字，竖一定要直而挺。竖直则字正。

申	申	申	申	
术	术	术	术	
末	末	末	末	

正字不偏

口　整个字平稳正直

字形正的字，一定要写正，不可偏，如果偏了就失去重心。

口	口	口	口	
甘	甘	甘	甘	
曲	曲	曲	曲	

斜字不倒

乒　重心平稳

字形斜的字，要注意把握好重心，顺其造型，但不能让它倒下来。

乒	乒	乒	乒	
乡	乡	乡	乡	
方	方	方	方	

《题旅店》

(清)王九龄

世	间	何	物	催	人	老
半	是	鸡	声	半	马	蹄

第三十一课 字框(二)

本课学习同字框、三框儿、门字框和方框儿的写法，注意字框大小及与里面部分的比例搭配。建议2课时。

写好框形字的一个要点就是：注意框内的部分不要太大，宜紧凑，笔画不要触及外框线。

长	恨	人	心	不	如	水
等	闲	平	地	起	波	澜

第十五课 左偏旁(一)

教学要求

本课学习两点水、三点水和单人旁、双人旁的写法，这两组偏旁学起来有共通之处，请认真体会。建议2课时。

名师点拨

本课学习的偏旁在字中占位较小，约为字宽度的三分之一。书写时要注意左右两部分之间的距离要适当，不宜太远也不宜太近。

两点水：两点呼应；左散右聚；轻提

冫 冫 冫 冫

次 次 次 次

冷 冷 冷 冷

冲 冲 冲 冲

三点水：稍小；稍大；略呈弧形

氵 氵 氵 氵

沈 沈 沈 沈

沉 沉 沉 沉

油 油 油 油

单人旁：于斜撇的中下部起笔；垂露竖

亻 亻 亻 亻

低 低 低 低

你 你 你 你

伴 伴 伴 伴

双人旁：指向不一 长短有别；垂露竖

彳 彳 彳 彳

行 行 行 行

征 征 征 征

待 待 待 待

《金缕衣》

（唐）无名氏

劝君莫惜金缕衣

劝君惜取少年时

第三十课　字框(一)

教学要求

本课学习厂字头、广字头、病字头和户字头的写法,注意撇画在字中的长短。建议2课时。

名师点拨

本课所学偏旁虽然称为"字头",但其所构成的字属左上包围结构,我们将其当字框来学习。注意外框与内部的配合。

何	当	共	剪	西	窗	烛
却	话	巴	山	夜	雨	时

第十六课　左偏旁(二)

教学要求

本课学习的口字旁、日字旁、目字旁和月字旁形体有从小到大的变化，在字中左旁的高低略有不同。建议2课时。

名师点拨

口字旁、日字旁一般位居左上方，目字旁一般位于中间位置，月字旁不宜写宽，整体瘦长。

口字旁：口　稍居上　整体右仰　下部略收

口	口
口	口

叶	叶	叶	叶	
咬	咬	咬	咬	
咱	咱	咱	咱	

日字旁：日　横间距相等　整体窄长　末横变提

日	日
日	日

时	时	时	时	
昨	昨	昨	昨	
明	明	明	明	

目字旁：目　整体窄长　平行等距　末横变提

目	目
目	目

盼	盼	盼	盼	
眨	眨	眨	眨	
睛	睛	睛	睛	

月字旁：月　整体窄长　右部　等距

月	月
月	月

服	服	服	服	
肌	肌	肌	肌	
朋	朋	朋	朋	

《琵琶记》
(元)高　明

十	年	窗	下	无	人	问
一	举	成	名	天	下	知

第二十九课　字底(二)

本课学习衣字底、走之儿、走字底和建字底的写法，注意平捺的起笔、行笔和收笔。建议2课时。

平捺是写好走之儿、走字底和建字底的关键，平捺讲究一波三折，富于变化，不宜过短，要兜住上部。

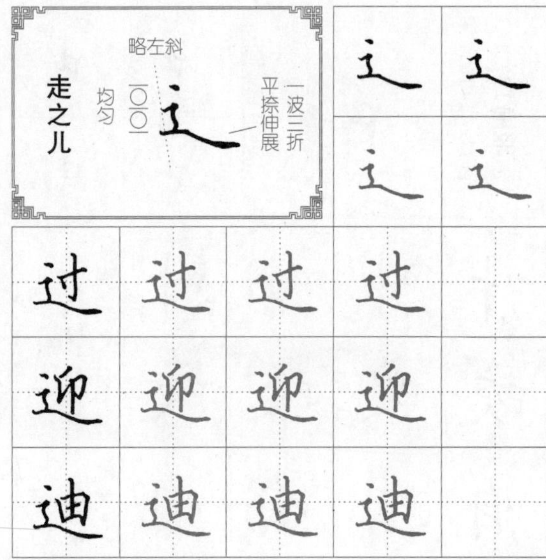

旧	时	王	谢	堂	前	燕
飞	入	寻	常	百	姓	家

第十七课　左偏旁(三)

教学要求

本课学习土字旁、王字旁、提手旁和牛字旁的写法，注意它们的起笔、行笔和收笔。建议2课时。

名师点拨

本课中的偏旁要注意在整体结构中的搭配，一般要把它们写得瘦长一些。土字旁和王字旁稍上靠。

土字旁：形不宜大　右对齐

坟　坟　坟　坟

坊　坊　坊　坊

地　地　地　地

王字旁：横间距相等　末横变提　三横右仰

现　现　现　现

瑞　瑞　瑞　瑞

环　环　环　环

提手旁：竖画直挺　右对齐

指　指　指　指

把　把　把　把

挑　挑　挑　挑

牛字旁：注意笔顺　长提交于竖中部

物　物　物　物

牺　牺　牺　牺

牧　牧　牧　牧

《代悲白头翁》

(唐)刘希夷

年	年	岁	岁	花	相	似
岁	岁	年	年	人	不	同

第二十八课　字底(一)

本课学习四点底、心字底、皿字底和女字底的写法，注意它们作为字底应宽展托上。建议2课时。

心字底的点画分别用左点、挑点和右点，卧钩曲折有致。皿字底竖画间距相等，底横左右伸展，托起上部。

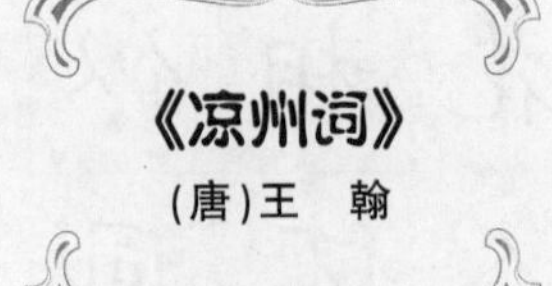

葡	萄	美	酒	夜	光	杯
欲	饮	琵	琶	马	上	催

第十八课　左偏旁(四)

本课学习言字旁、竖心旁、示字旁和衣字旁的写法，注意示字旁和衣字旁的异同。建议2课时。

这组偏旁中都有点画，要注意首点的位置。言字旁、示字旁和衣字旁注意上点要与下竖对齐。

言字旁 讠：点横相离；竖稍左斜

讠	讠
讠	讠

论	论	论	论	
认	认	认	认	
订	订	订	订	

竖心旁 忄：①②③ 起笔与左点齐平，略横向

忄	忄
忄	忄

情	情	情	情	
忆	忆	忆	忆	
悄	悄	悄	悄	

示字旁 礻：点横分离；注意夹角；靠近竖的起点

礻	礻
礻	礻

社	社	社	社	
祝	祝	祝	祝	
祖	祖	祖	祖	

衣字旁 衤：点横分离；夹角适度；中部紧凑

衤	衤
衤	衤

袖	袖	袖	袖	
补	补	补	补	
衬	衬	衬	衬	

《离思》
(唐)元　稹

曾	经	沧	海	难	为	水
除	却	巫	山	不	是	云

第二十七课　字头(三)

本课学习草字头、竹字头、爪字头和雨字头的写法，注意偏旁中点画的处理。建议3课时。

今天学习的这组字头宜扁宽，占整个字高度的三分之一。其中的雨字头的四点相聚，不宜写大。

草字头　上放下收　①②③　长　短

竹字头　左低右高　大小基本一样

花 花 花 花
芬 芬 芬 芬
节 节 节 节

笑 笑 笑 笑
笔 笔 笔 笔
笼 笼 笼 笼

爪字头　上撇较平　三点聚拢

雨字头　形扁宽　四点形态各异

采 采 采 采
受 受 受 受
爱 爱 爱 爱

雪 雪 雪 雪
雷 雷 雷 雷
雾 雾 雾 雾

《鹊桥仙》
(宋)秦　观

两	情	若	是	久	长	时
又	岂	在	朝	朝	暮	暮

第十九课 左偏旁(五)

本课学习木字旁、禾字旁、米字旁和金字旁的写法，注意这组偏旁中撇捺的处理。建议2课时。

在左的偏旁右部有捺画的一般都宜变捺为点，为右部留出书写位置，如本课所学的木字旁、禾字旁和米字旁。

木字旁：点起笔于竖中部；垂露竖

木	木
木	木

权	权	权	权	
杜	杜	杜	杜	
杨	杨	杨	杨	

禾字旁：撇平而短；横稍长略左伸；右对齐；末捺变点

禾	禾
禾	禾

秋	秋	秋	秋	
租	租	租	租	
秘	秘	秘	秘	

米字旁：横稍长略左伸；右齐；垂露竖

米	米
米	米

粉	粉	粉	粉	
粗	粗	粗	粗	
料	料	料	料	

金字旁：上紧下松；平行等距；竖略偏左

钅	钅
钅	钅

铜	铜	铜	铜	
铅	铅	铅	铅	
钱	钱	钱	钱	

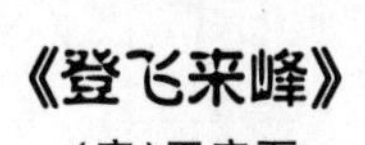

《登飞来峰》

(宋)王安石

不	畏	浮	云	遮	望	眼
自	缘	身	在	最	高	层

第二十六课　字头(二)

教学要求

本课学习八字头、人字头、大字头和条文头的写法，注意撇捺伸展，左右对称。建议2课时。

名师点拨

字头含有撇和捺等笔画时，一般要写得舒展大方，撇捺呈左右对称状分布，覆盖下部结构。

《长恨歌》
(唐)白居易

天长地久有时尽
此恨绵绵无绝期

第二十课 左偏旁(六)

教学要求

本课学习反犬旁、食字旁、弓字旁和子字旁这四个左偏旁。注意反犬旁要斜而不倒。建议3课时。

名师点拨

下面学习的反犬旁和子字旁涉及弯钩的书写，带有弯钩的偏旁要注意倾斜角度，不然会影响整个字的呈现效果。

反犬旁：犭 两撇长短指向不一 不要出头

犭 犭 犭 犭

猫 猫 猫 猫

狠 狠 狠 狠

狂 狂 狂 狂

食字旁：饣 撇稍长 不宜太大 稍左斜

饣 饣 饣 饣

饭 饭 饭 饭

饥 饥 饥 饥

蚀 蚀 蚀 蚀

弓字旁：弓 等距 上紧下松

弓 弓 弓 弓

张 张 张 张

弘 弘 弘 弘

强 强 强 强

子字旁：子 注意夹角 略带弧形

子 子 子 子

孙 孙 孙 孙

孤 孤 孤 孤

孩 孩 孩 孩

《将进酒》

(唐)李 白

人生得意须尽欢

莫使金樽空对月

第二十五课 字头(一)

教学要求

本课学习秃宝盖、宝盖儿、穴宝盖和四字头的写法，注意字头的大小与下面部分的搭配。建议2课时。

名师点拨

作为字头时，如果下面有横向长笔画，字头不宜过宽。本课前三个字头在书写上有相同之处，要注意归纳总结。

秃宝盖：横稍长；钩不宜长

冖 冖 冖 冖

冗 冗 冗 冗

冥 冥 冥 冥

冠 冠 冠 冠

宝盖儿：点居中；横长略上凸

宀 宀 宀 宀

宝 宝 宝 宝

定 定 定 定

安 安 安 安

穴宝盖：笔势向下；注意中轴线

穴 穴 穴 穴

空 空 空 空

窗 窗 窗 窗

容 容 容 容

四字头：上宽下窄；整体要扁；间距均匀

罒 罒 罒 罒

罗 罗 罗 罗

罢 罢 罢 罢

置 置 置 置

《长恨歌》
(唐)白居易

上穷碧落下黄泉
两处茫茫皆不见

第二十一课　左偏旁(七)

教学要求

本课学习马字旁、女字旁、方字旁和舟字旁的写法,注意这四个偏旁在字中的宽窄占位。建议2课时。

名师点拨

这课学习的这四个偏旁形体较大,但要注意在组字时切忌写大,与右部的组合要左收右放。

马字旁 马：末横变提不出头；整体窄长

马 马 马 马

骑 骑 骑 骑

驼 驼 驼 驼

驴 驴 驴 驴

女字旁 女：①②③；横画作提不出头；此为长点

女 女 女 女

奶 奶 奶 奶

妈 妈 妈 妈

妇 妇 妇 妇

方字旁 方：注意中轴线；横略右上仰

方 方 方 方

放 放 放 放

旗 旗 旗 旗

旋 旋 旋 旋

舟字旁 舟：稍长略上斜；形窄长

舟 舟 舟 舟

般 般 般 般

舱 舱 舱 舱

航 航 航 航

《春宵》
(宋)苏　轼

春	宵	一	刻	值	千	金
花	有	清	香	月	有	阴

第二十四课　右偏旁(二)

本课学习殳字旁、反文旁、页字旁和隹字旁的写法，注意这些偏旁左右部的占位。建议2课时。

反文旁注意第一撇短、稍直一点，第二撇略长，斜捺要写得长而舒展，交于斜撇的中上位置。

殳字旁：殳　左收右放；不出钩；捺伸展

殳 殳 殳 殳

设 设 设 设

没 没 没 没

段 段 段 段

反文旁：攵　注意中心紧凑；整体上收下放

攵 攵 攵 攵

改 改 改 改

政 政 政 政

故 故 故 故

页字旁：页　注意中轴线；不宜太长

页 页 页 页

顺 顺 顺 顺

顶 顶 顶 顶

项 项 项 项

隹字旁：隹　竖画略长；横画等距；略右伸

隹 隹 隹 隹

雄 雄 雄 雄

雅 雅 雅 雅

雕 雕 雕 雕

《蝶恋花》

(宋)苏　轼

笑渐不闻声渐悄
多情却被无情恼

第二十二课　左偏旁(八)

教学要求

本课学习绞丝旁、歹字旁、车字旁和舌字旁的写法，注意偏旁与右部的配合。建议2课时。

名师点拨

车字旁要注意笔画顺序，因考虑到它与右部笔画的衔接，书写笔顺与独体字“车”的写法略有不同。

绞丝旁：纟 两撇折上大下稍小；右齐

纟 纟 纟 纟

红 红 红 红

级 级 级 级

给 给 给 给

歹字旁：歹 此撇稍短；短横扛肩

歹 歹 歹 歹

残 残 残 残

殒 殒 殒 殒

殆 殆 殆 殆

车字旁：车 ①②③④ 三横平行；忌用悬针；右齐

车 车 车 车

辆 辆 辆 辆

轻 轻 轻 轻

轼 轼 轼 轼

舌字旁：舌 横画平行；撇平而短

舌 舌 舌 舌

甜 甜 甜 甜

乱 乱 乱 乱

刮 刮 刮 刮

《蝶恋花》

(宋)柳　永

衣	带	渐	宽	终	不	悔
为	伊	消	得	人	憔	悴

第二十三课　右偏旁(一)

本课学习立刀旁、单耳刀、双耳刀和三撇儿的写法，注意观察右偏旁的占位规律。建议2课时。

双耳刀可以居字左也可以居字右，两种写法略有不同，请参考图示加以区分，注意在实际书写中的应用。

单耳刀
横折钩宜小
悬针竖

卩	卩
卩	卩

印	印	印	印	
却	却	却	却	
即	即	即	即	

《琵琶行》

(唐)白居易

同	是	天	涯	沦	落	人
相	逢	何	必	曾	相	识